给孩子读诗

100 Poems for Children

果麦 编

浙江出版联合集团
浙江文艺出版社

我念一首诗 给你听

打开诗集的动作　很小心　很轻

目录 | CONTENTS

星星

[芬兰]伊迪特·索德格朗 ｜ 北岛 译

当夜色降临

我站在台阶上倾听；

星星蜂拥在花园里

而我站在黑暗中。

听，一颗星星落地作响！

你别赤脚在这草地上散步，

我的花园到处是星星的碎片。

蒹葭萋萋
白露未晞
所谓伊人
在水之湄
溯洄从之
道阻且跻
溯游从之
宛在水中坻

蒹葭采采
白露未已
所谓伊人
在水之涘
溯洄从之
道阻且右
溯游从之
宛在水中沚

蒹葭

诗经·秦风

蒹葭苍苍
白露为霜
所谓伊人
在水一方
溯洄从之
道阻且长
溯游从之
宛在水中央

礼物

[波兰] 切斯瓦夫·米沃什 | 西川 译

如此幸福的一天
雾一早就散了，我在花园里干活
蜂鸟停在忍冬花上

这世上没有一样东西我想占有
我知道没有一个人值得我羡慕
任何我曾遭受的不幸，我都已忘记

想到故我今我同为一人并不使我难为情
在我身上没有痛苦
直起腰来，我望见蓝色的大海和帆影

火车

[土耳其] 贾希特·塔朗吉 ｜ 余光中 译

去什么地方呢
这么晚了
美丽的火车
孤独的火车

凄苦是你汽笛的声音
令人记起了许多事情

为什么我不该挥舞手巾
乘客多少都跟我有亲

去吧 但愿你一路平安
桥都坚固 隧道都光明

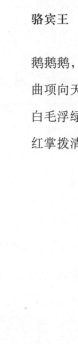

咏鹅

骆宾王

鹅鹅鹅，

曲项向天歌。

白毛浮绿水，

红掌拨清波。

我想和你虚度时光

李元胜

我想和你虚度时光，比如低头看鱼
比如把茶杯留在桌子上，离开
浪费它们好看的阴影
我还想连落日一起浪费，比如散步
一直消磨到星光满天
我还要浪费风起的时候
坐在走廊发呆，直到你眼中乌云
全部被吹到窗外

我已经虚度了世界，它经过我
疲倦又像从未被爱过
但是明天我还要这样，虚度
满目的花草，生活应该像它们一样美好
一样无意义，像被虚度的电影
那些绝望的爱和赴死
为我们带来短暂的沉默

我想和你互相浪费
一起虚度短的沉默，长的无意义
一起消磨精致而苍老的宇宙
比如靠在栏杆上，低头看水的镜子
直到所有被虚度的事物
在我们身后，长出薄薄的翅膀

小池

杨万里

泉眼无声惜细流，
树阴照水爱晴柔。
小荷才露尖尖角，
早有蜻蜓立上头。

从前慢

木心

记得早先少年时
大家诚诚恳恳
说一句是一句

清早上火车站
长街黑暗无行人
卖豆浆的小店冒着热气

从前的日色变得慢
车，马，邮件都慢
一生只够爱一个人

从前的锁也好看
钥匙精美有样子
你锁了人家就懂了

妈妈教给我的歌

爱斯基摩歌谣 ｜ 阿九 译

我只是个平常的女人，

从没见过异象。

但我要告诉你

我能知道的这个世界

以及我尚未亲历的那些世界。

我的夜晚几乎没有梦——

如果有，我会知道得比现在更多。

做梦的人们

见闻许多大事。

在梦里

人们过着一种与这个世界

全然不同的生活。

我相信梦，

自己却不是梦者，

我只知道每个孩子从妈妈那里学会的东西，

因为母亲们在睡前给孩子讲故事

好让他们入睡，

正是从这些故事里

我们懂得了一切。

The Star

[英国] 珍·泰勒

Twinkle, twinkle, little star,

How I wonder what you are!

Up above the world so high,

Like a diamond in the sky.

When the blazing sun is gone,

When he nothing shines upon,

Then you show your little light,

Twinkle, twinkle, all the night.

Then the traveller in the dark

Thanks you for your tiny sparks;

He could not see which way to go,

If you did not twinkle so.

In the dark blue sky you keep,

And often through my curtains peep,

For you never shut your eye

Till the sun is in the sky.

As your bright and tiny spark

Lights the traveller in the dark,

Though I know not what you are,

Twinkle, twinkle, little star.

十四行诗第 18 首

[英国] 威廉·莎士比亚 ｜ 屠岸 译

我能否把你比做夏季的一天？
你可是更加可爱，更加温婉；
狂风会吹乱五月的娇花嫩瓣，
夏季出租的日期又未免太短：

有时候苍天的巨眼照得太灼热，
他金光闪耀的圣颜也会被遮暗；
每一样美呀，总会失去美而凋落，
被时机或者自然的代谢所摧残；

但是你永久的夏天决不会凋枯，
你永远不会失去你美的形象；
死神夸不着你在影子里的蹰躇，
你将在不朽的诗中与时间同在；

只要人类在呼吸，眼睛看得见，
我这诗就活着，使你的生命绵延。

弯弯的月儿小小的船

叶圣陶

弯弯的月儿小小的船，
小小的船儿两头尖。
我在小小的船里坐，
只看见闪闪的星星蓝蓝的天。

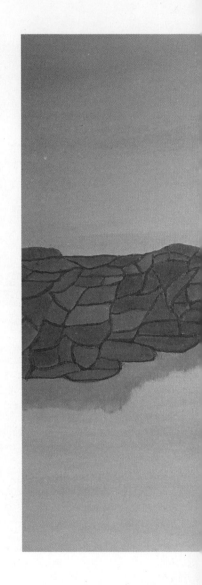

小鸟在天空消失的日子

[日本] 谷川俊太郎 ｜ 田原 译

野兽在森林消失的日子

森林寂静无语，屏住呼吸

野兽在森林消失的日子

人还在继续铺路

鱼在大海消失的日子

大海汹涌的波涛是枉然的呻吟

鱼在大海消失的日子

人还在继续修建港口

孩子在大街上消失的日子

大街变得更加热闹

孩子在大街上消失的日子

人还在建造公园

自己在人群中消失的日子

人彼此变得十分相似

自己在人群中消失的日子

人还在继续相信未来

小鸟在天空消失的日子

天空静静地涌淌泪水

小鸟在天空消失的日子

人还在无知地继续歌唱

032

赋得古原草送别

白居易

离离原上草，一岁一枯荣。

野火烧不尽，春风吹又生。

远芳侵古道，晴翠接荒城。

又送王孙去，萋萋满别情。

你应该努力追求幸福

[美国] 麦克斯·埃尔曼

宗石 译

在嘈杂和匆忙中，
平静地前行吧，
也别忘了在寂静中，
能找到多好的安宁。

可以的话，
尽量不放弃原则而与所有人和睦相处。
细语清晰地说出你的肺腑之言，
也聆听别人的说话，
别人的话纵然又枯燥又无知，
总会有他们的故事。

避开大声吵闹和好斗的人；
他们是扰乱心性的人。
不要跟其他人比较，
否则可能变得虚荣自负或忿忿不平，
因为一定有人比你伟大，
也一定有人比你渺小。

享受计划，

也享受成就。

无论自己的事业有多卑微，

维持对它的兴趣；

在一生多变的命运中，

它是你真正拥有的东西。

谨慎处理生意，

因为这世界充斥着欺诈。

但是，

不要因此而看不见人间美德；

很多人为崇高理想而奋斗，

生命到处都有英勇的事迹。

做你自己。

尤其不要虚情假意。

但也不要把爱视为虚伪；

因为尽管生命有时枯燥乏味，

有时令人迷醉，

爱，

却如青草般日久常在。

不轻视因年老而获得的阅历，

并得体地舍弃年轻时拥有的东西。

培育心灵上的力量，

以面对突然而来的不幸。

但不要杞人忧天以致心神不宁。

众多的恐惧，

源自疲乏和孤独。

要既不逾矩，

又善待自己。

你是宇宙的孩子，

身份不次于树木和星星；

身处这里是你的权利。

不管你是否明白它的奥秘，

毫无疑问宇宙在展现着原本应有的样貌和规律。

因此，

不管在你心中上帝是什么模样，

和他和睦相处吧。

也不管你怎样劳累和胸怀大志，

在生命的烦嚣和困惑中，

要保持心灵上的安宁。

不管经历了多少伪善、苦役、破碎的梦，

世界依然是美丽的。

要保持轻松开朗，

努力保持快乐。

假如生活欺骗了你

[俄罗斯] 亚历山大·普希金 | 戈宝权 译

假如生活欺骗了你，
不要悲伤，不要心急！
忧郁的日子需要镇静；
相信吧！快乐的日子将会来临。

心儿永远向往着未来；
现在却常是忧郁。
一切都是瞬息，
一切都将会过去；
而那过去了的，
就会成为亲切的怀恋。

说给自己听

佚名

如果有来生，要做一棵树，
站成永恒，没有悲欢的姿势。

一半在尘土里安详，
一半在风里飞扬；
一半洒落阴凉，
一半沐浴阳光。

如果有来生，
要做一只鸟，
飞越永恒，
没有迷途的苦恼。
东方有火红的希望，
南方有温暖的巢床，
向西逐退残阳，
向北唤醒芬芳。

面朝大海，春暖花开

海子

从明天起，做一个幸福的人
喂马，劈柴，周游世界
从明天起，关心粮食和蔬菜
我有一所房子，面朝大海，春暖花开

从明天起，和每一个亲人通信
告诉他们我的幸福
那幸福的闪电告诉我的
我将告诉每一个人

给每一条河每一座山取一个温暖的名字
陌生人，我也为你祝福
愿你有一个灿烂的前程
愿你有情人终成眷属
愿你在尘世获得幸福
我也愿面朝大海，春暖花开

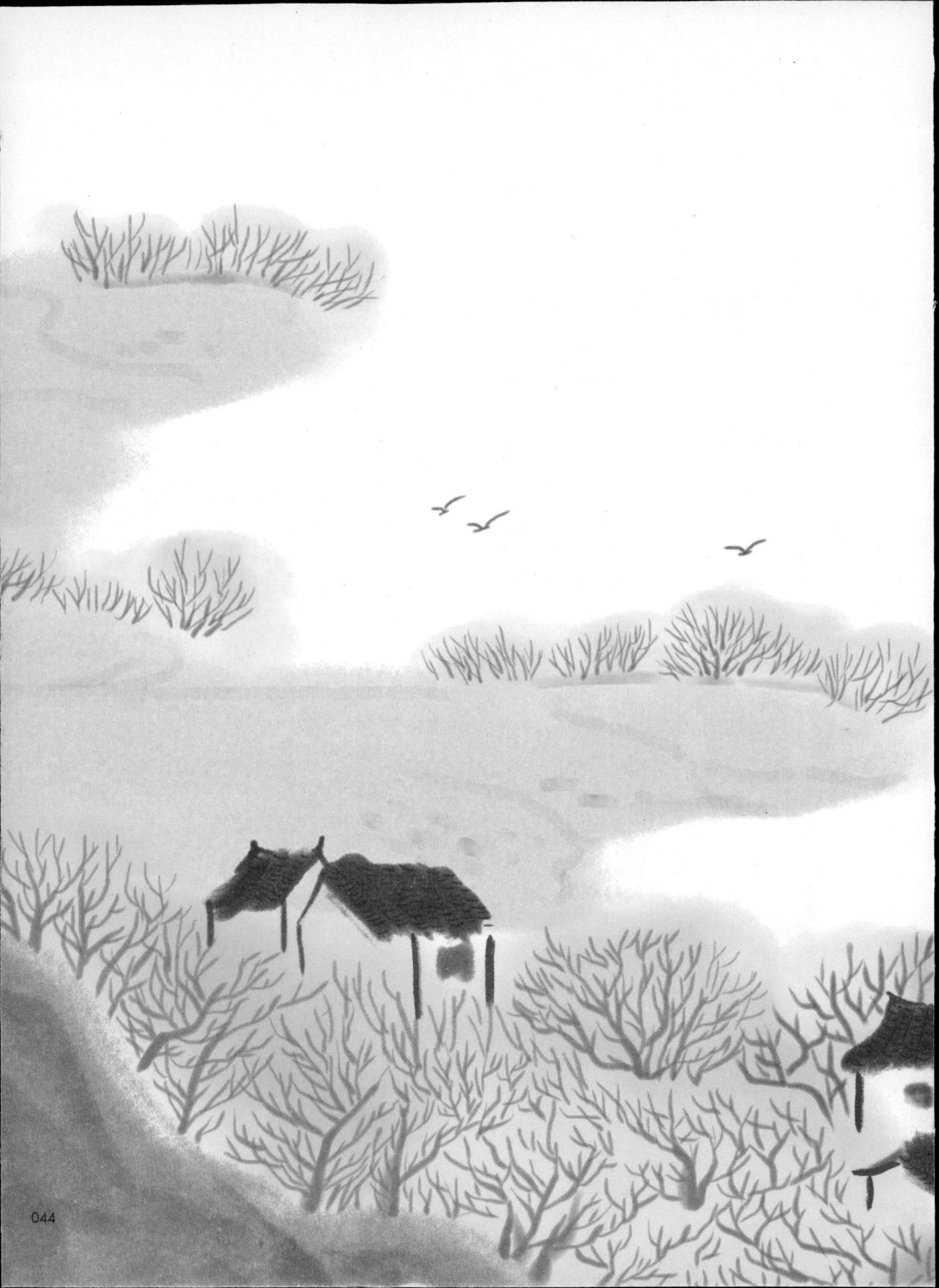

春晓

孟浩然

春眠不觉晓，
处处闻啼鸟。
夜来风雨声，
花落知多少。

断章

卞之琳

你站在桥上看风景，
看风景的人在楼上看你。

明月装饰了你的窗子，
你装饰了别人的梦。

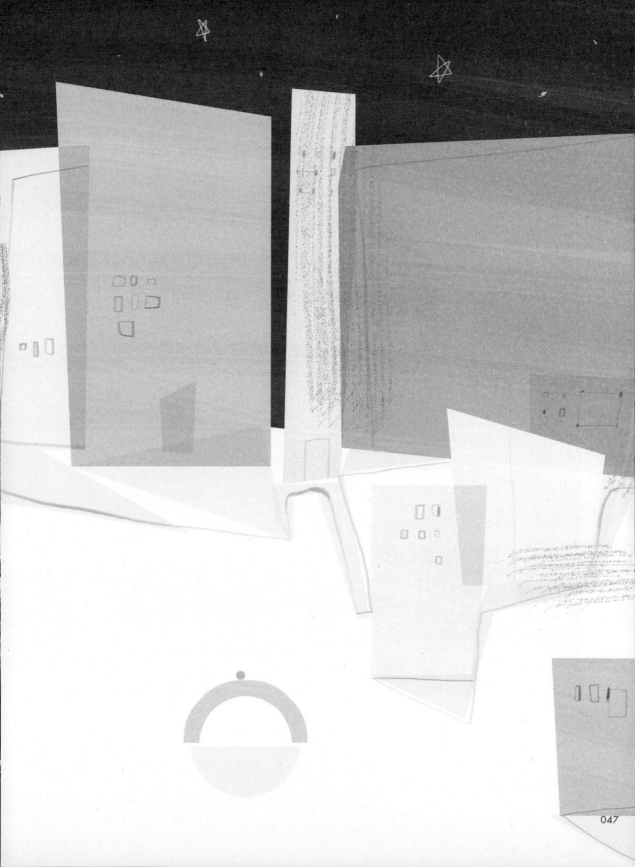

天真的预言

[英国] 威廉·布莱克 | 徐志摩 译

一沙一世界

一花一天堂

双手握无限

刹那是永恒

念一首诗给你听

方文山

下雨过后的屋檐　果然　是适合风铃

你从窗外看到　风刚刚冒出嫩芽的声音　很轻

而我决定了　在猫的眼睛上　旅行

于是乎　所有的神秘都向后退　退成风景

只有隐藏的够灵巧的事情　才能长成　蒲公英

然后毫无负担地跟着　前进　很小心

因为害怕　将只敢在梦中喜欢你的我的那部分吵醒

于是乎　我默念了一首诗　给你听

打开诗集的动作　很小心　很轻

很轻　很小心　就像猫跟风铃

念了一首诗　给你听

给仙人的信

[意大利] 贾尼·罗大里 ｜ 佚名 译

不知道是真是假：

说是夜里

仙人把礼物放进毛袜？

不知道是真是假：

说是过节

仙人把玩具放在好孩子的枕头底下？

我不顽皮，一举一动都好，

就是在袜子里什么也没找到。

亲爱的仙人，今天是除夕，

你的火车一定开过这里。

我心里就怕一件事情，

就怕你的火车开过我们这儿不停，

就怕你走过了穷人们的破房土窑，

把我们这些好而穷的孩子漏掉。

仙人呐，我们十分感谢，又无比快活

如果你坐上一辆慢车，

在有孩子等你的每家门口

停上一刻。

早发白帝城

李白

朝辞白帝彩云间，
千里江陵一日还。
两岸猿声啼不住，
轻舟已过万重山。

我愿意是急流

[匈牙利] 裴多菲·山多尔
孙用 译

我愿意是急流，
山里的小河，
在崎岖的路上、
岩石上经过……
只要我的爱人
是一条小鱼，
在我的浪花中
快乐地游来游去。

我愿意是荒林，
在河流的两岸，
对一阵阵的狂风，
勇敢地作战……
只要我的爱人
是一只小鸟，
在我的稠密的
树枝间做巢，鸣叫。

我愿意是废墟，
在峻峭的山崖上，
这静默的毁灭
并不使我懊丧……

只要我的爱人
是青青的常春藤，
沿着我荒凉的额，
亲密地攀援上升。

我愿意是草屋，
在深深的山谷底，
草屋的顶上
饱受风雨的打击……
只要我的爱人
是可爱的火焰，
在我的炉子里，
愉快地缓缓闪现。

我愿意是云朵，
是灰色的破旗，
在广漠的空中，
懒懒地飘来荡去，
只要我的爱人
是珊瑚似的夕阳，
傍着我苍白的脸，
显出鲜艳的辉煌。

春

冯唐

春水初生

春林初盛

春风十里，不如你

059

春夜喜雨

杜甫

好雨知时节，当春乃发生。

随风潜入夜，润物细无声。

野径云俱黑，江船火独明。

晓看红湿处，花重锦官城。

雪

[罗马尼亚] 图多尔·阿尔盖齐 | 陆象淦 译

晶莹纯洁的雪花，

我期待着你下凡。

你，栽种在蓝天上的花瓣。

蓝天正在凝结，

为寒冬制作项链。

整个天穹都在忙碌，

为你准备洁白的衣衫。

但是，你同星星和月亮

一起来到我们人间，

永远难免涉足尘埃，

落入那污浊的泥潭。

枫桥夜泊

张继

月落乌啼霜满天，江枫渔火对愁眠。

姑苏城外寒山寺，夜半钟声到客船。

一束

北岛

在我和世界之间
你是海湾，是帆
是缆绳忠实的两端
你是喷泉，是风
是童年清脆的呼喊

在我和世界之间
你是画框，是窗口
是开满野花的田园
你是呼吸，是床头
是陪伴星星的夜晚

在我和世界之间
你是日历，是罗盘
是暗中滑行的光线

你是履历，是书签
是写在最后的序言

在我和世界之间
你是纱幕，是雾
是映入梦中的灯盏
你是口笛，是无言之歌
是石雕低垂的眼帘

在我和世界之间
你是鸿沟，是池沼
是正在下陷的深渊
你是栅栏，是墙垣
是盾牌上永久的图案

一代人 | 顾城　　　黑夜给了我黑色的眼睛，我却用它寻找光明。

传说

[德国] 赫尔曼·黑塞 ｜ 林克 译

国王和他的侍从坐在筵席上，
一只胆大的小鸟飞过殿堂。

"朋友，你们告诉我，"国王言语，
"难道这只小鸟不是个譬喻？
来自黑暗随即又隐入黑暗，
它只在光亮中待了一瞬间。
也这样来而复去不留痕迹，
我们在光明中没有多少日子。"

有人回答："自己安息的地方，
小鸟都知道，就在它的故乡。
人生如梦如黑夜，虚幻又蹉跎，
我们是可怜的眠者。但上帝醒着。"

夜

[俄罗斯]谢尔盖·叶赛宁 ｜ 顾蕴璞 译

河水悄悄流入梦乡了，
幽暗的松林失去喧响。
夜莺的歌声沉寂了，
长脚秧鸡不再欢嚷。

夜来了。寂静笼盖周围，
只听得溪水轻轻地歌唱。
明月洒下它的光辉，
给四下的一切披上银装。

大河银星闪耀，
小溪银波微漾。
灌溉过的草原的青草，
也闪着银色光芒。

夜来了，寂静笼盖周围，
大自然沉浸在梦乡。
明月洒下它的光辉，
给四下的一切披上银装。

西江月·夜行黄沙道中

辛弃疾

明月别枝惊鹊，清风半夜鸣蝉。稻花香里说丰年，听取蛙声一片。

七八个星天外，两三点雨山前。旧时茅店社林边，路转溪桥忽见。

床上的大陆

[英国]罗伯特·史蒂文森 | 漪然 译

当我生病躺在床上，

靠着两只枕头遐想，

所有玩具陪在我身旁，

度过整天悠闲的时光。

一个钟头又一个钟头，

我看着锡兵列队行走，

配着各色肩章和纽扣，

各自穿过床单的山沟。

有时我的舰队航行在海上，

对抗着棉被掀起的巨浪；

有时我让树木到处生长，

再盖起座座漂亮的楼房。

我是一个了不起的巨人，

坐在枕头山岗的最高处，

静静俯视我的平原和峡谷，

还有整个床上的大陆。

游子吟

孟郊

慈母手中线，游子身上衣。
临行密密缝，意恐迟迟归。
谁言寸草心，报得三春晖。

年龄的问题

杜荣琛

爷爷的年龄,

写在脸上的皱纹里;

马儿的年龄,

嚼在嘴巴的牙齿里;

树木的年龄,

藏在肚子的年轮里。

老师!

那么池塘的年龄,

是不是画在一圈圈的涟漪里?

哄你睡觉

刘墨闻

七点的牛奶 三点的茶
六点的炊烟叫我回家

挤一把大伞 床头滚床尾
沙发里聊聊芸芸事非

你可以发呆 或是想想晚饭
在我牵着你回家的路上

我们穿过灯红酒绿的荒芜和欲望
趟过车水马龙的市井与城墙

迷途未返总有意义
马儿也要歇一歇 我们在路边小憩

挑出你发丝里的细草
拨出你衔在嘴角的发梢

你的呼吸何时这样轻过
在银河般深邃的夜里
一次次将我击落

亲爱的

晚安

你睡你的

我看我的

虞美人·春花秋月何时了

李煜

春花秋月何时了？往事知多少。小楼昨夜又东风，故国不堪回首月明中。
雕栏玉砌应犹在，只是朱颜改。问君能有几多愁？恰似一江春水向东流。

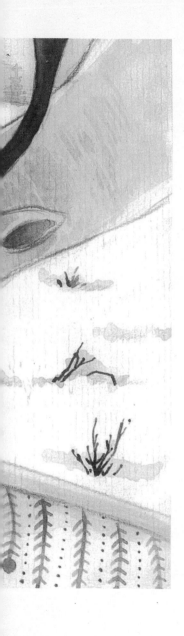

飞鸟集·第 276 首

[印度] 泰戈尔 ｜ 冯唐 译

白天的活儿干完啦

我的脸藏进你的臂弯

妈妈

让我做梦吧

在赠给孩子的书上题词

[英国]西雷亚·贝洛克 | 屠岸 译

孩子！这本书别乱扔乱抛！
别为了不光彩的取乐胡闹
就把书中的画页都剪掉！
这本书要当作宝贝保存好。

孩子，难道你从没听说过，
你是全部历史的继承者？
要知道，你的手生来就不该
把这些漂亮的书页撕破！

你一双小手生来是为了
取得美和善，拒绝丑和恶：
你的手也将用来同那些
祖先们厚实的巨手紧握。

当你用祈祷使一天终结，
亲爱的，你那一双小手，
我想，也该用来为那些
丢失了幻境的大人祈求。

江南春

杜牧

千里莺啼绿映红，
水村山郭酒旗风。
南朝四百八十寺，
多少楼台烟雨中。

在天晴了的时候

戴望舒

在天晴了的时候，
该到小径中去走走：

给雨润过的泥路，
一定是凉爽又温柔；
炫耀着新绿的小草，
已一下子洗净了尘垢；
不再胆怯的小白菊，
慢慢地抬起它们的头，
试试寒，试试暖，
然后一瓣瓣地绽透；
抖去水珠的风蝶儿
在木叶间自在闲游，
把它的饰彩的智慧书页，
曝着阳光一开一收。

到小径中去走走吧，
在天晴了的时候：

赤着脚，
携着手，
踏着新泥，
涉过溪流。

新阳推开了阴霾了，
溪水在温风中晕皱，
看山间移动的暗绿——
云的足迹——它也在闲游。

秋日

[奥地利] 赖内·里尔克
冯至 译

主啊！是时候了。
夏日曾经很盛大。
把你的阴影落在日晷上，
让秋风刮过田野。

让最后的果实长得丰满，
再给它们两天南方的气候，
迫使它们成熟，
把最后的甘甜酿入浓酒。

谁这时没有房屋，就不必建筑。
谁这时孤独，就永远孤独。
就醒着，读着，写着长信，
在林荫道上来回
不安地游荡，当着落叶纷飞。

天净沙·秋思

马致远

枯藤老树昏鸦，

小桥流水人家，

古道西风瘦马。

夕阳西下，断肠人在天涯。

教我如何不想她

刘半农

天上飘着些微云，
地上吹着些微风。
啊！
微风吹动了我的头发，
教我如何不想她？

月光恋爱着海洋，
海洋恋爱着月光。
啊！
这般蜜也似的银夜。
教我如何不想她？

水面落花慢慢流，
水底鱼儿慢慢游。
啊！
燕子你说些什么话？
教我如何不想她？

枯树在冷风里摇，
野火在暮色中烧。
啊！
西天还有些儿残霞，
教我如何不想她？

种草原

[美国]艾米莉·狄金森 ┃ 杨珊珊 译

种一片草原吧，

去找三叶草和小蜜蜂。

三叶草，小蜜蜂，

加一点，白日梦。

假如找不到蜜蜂，

光有白日梦也行。

做一个最好的你

[美国]道格拉斯·玛拉赫｜袁玲 译

如果你不能成为山顶上的高松，
那就当棵山谷里的小树吧，
但要当棵溪边最好的小树。

如果你不能成为一棵大树，
那就当丛小灌木；
如果你不能成为一丛小灌木，
那就当一片小草地。

如果你不能是一只香獐，
那就当尾小鲈鱼，
但要当湖里最活泼的小鲈鱼。

我们不能全是船长，
必须有人也是水手。

这里有许多事让我们去做，
有大事，有小事，
但最重要的是我们身旁的事。

如果你不能成为大道，
那就当一条小路；
如果你不能成为太阳，
那就当一颗星星。

清晨

易海贝

清晨
明亮的露珠从草叶尖上滑落
照旧落入小河

明天
人们不会发现什么

只有河里的鹅卵石在无休止地说
我看见了
我看见了

但
没有人知道

露珠

[日本] 金子美铃 | 吴菲 译

谁都不要告诉
好吗?

清晨
庭院的角落里,
花儿
悄悄掉眼泪的事。

万一这事
说出去了,
传到
蜜蜂的耳朵里,

它会像
做了亏心事一样,
飞回去
还蜂蜜吧。

对星星的诺言

[智利] 加布里埃拉·密斯特拉尔 ｜ 王永年 译

星星睁着眼睛，
挂在黑丝绒上亮晶晶。
你们从上往下望，
看我可纯真?

好奇的小眼睛，
彻夜睁着不睡眠，
玫瑰色的黎明
为什么要抹掉你们?

星星睁着眼睛，
嵌在宁谧的天空闪闪亮。
你们在高处，
说我可善良?

星星的小眼睛，
洒下泪滴或露珠。
你们在上面抖个不停，
是不是因为寒冷?

星星睁着眼睛，
睫毛眨不止，
你们为什么有这么多颜色，
有蓝，有红，还有紫?

星星的小眼睛，
我向你们保证:
你们瞅着我，
我永远，永远纯真。

水调歌头·明月几时有

苏轼

明月几时有？把酒问青天。不知天上宫阙，今夕是何年。

我欲乘风归去，又恐琼楼玉宇，高处不胜寒。起舞弄清影，何似在人间。

转朱阁，低绮户，照无眠。不应有恨，何事长向别时圆？

人有悲欢离合，月有阴晴圆缺，此事古难全。但愿人长久，千里共婵娟。

你是人间的四月天

林徽因

我说，
你是人间的四月天，
笑声点亮了四面风，
轻灵在春的光焰中交舞着变。

你是四月早天里的云烟，
黄昏吹着风的软，
星子在无意中闪，
细雨点洒在花前。

那轻，那娉婷，你是，
鲜妍百花的冠冕你戴着，
你是天真，庄严，
你是夜夜的月圆。

雪化后那片鹅黄，你像；
新鲜初放芽的绿，你是；
柔嫩喜悦，
水光浮动着你梦期待中的白莲。

你是一树一树的花开，
是燕在梁间呢喃，
——你是爱，是暖，是希望。
你是人间的四月天！

偶然

徐志摩

我是天空里的一片云，
偶尔投影在你的波心。
你不必讶异，
更无须欢喜，
在转瞬间消灭了踪影。

你我相逢在黑夜的海上，
你有你的，我有我的，方向。
你记得也好，
最好你忘掉，
在这交会时互放的光亮!

116

敕勒歌

北朝民歌

敕勒川，

阴山下。

天似穹庐，

笼盖四野。

天苍苍，野茫茫，

风吹草低见牛羊。

悯农

李绅

锄禾日当午，
汗滴禾下土。
谁知盘中餐，
粒粒皆辛苦？

明天，天一亮

[法国]维克多·雨果 ｜ 闻家驷 译

明天，天一亮，

原野露曙色，

我就动身。

我知道你在跂望。

我行经森林，

我行经山泽，

我再不能长此天各一方。

我注视着思念踽踽地走，

什么也不闻，什么也不见，

怀着忧心，俯着背，交叉着手，

白昼，我觉得如同黑夜一般。

我不看直下江流的远帆，

也不看落日散成的彩霞，

几时我到了，就在你的墓前

放一束青枝和一束花。

你不快乐的每一天都不是你的

[葡萄牙] 费尔南多·佩索阿 | 姚风 译

你不快乐的每一天都不是你的：
你只是虚度了它。无论你怎么活
只要不快乐，你就没有生活过。

夕阳倒映在水塘，假如足以令你愉悦
那么爱情，美酒，或者欢笑
便也无足轻重。

幸福的人，是他从微小的事物中
汲取到快乐，每一天都不拒绝
自然的馈赠！

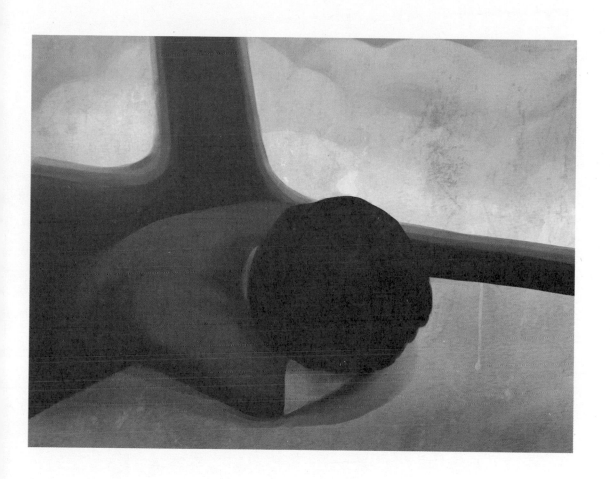

西北偏西

张子选

西北偏西

一个我去过的地方

没有高粱没有高粱也没有高粱

羊群啃食石头上的阳光

我和一个牧羊人互相拍了拍肩膀

又拍了拍肩膀

走了很远这才发现自己

还不曾转过头大回望

心里一阵迷惘

天空中飘满了老鹰们的翅膀

提起西北偏西

我时常满面泪光

渔歌子

张致和

西塞山前白鹭飞，桃花流水鳜鱼肥。
青箬笠，绿蓑衣，斜风细雨不须归。

凉州词

王之涣

黄河远上白云间，
一片孤城万仞山。
羌笛何须怨杨柳？
春风不度玉门关。

当世界年纪还小的时候

[瑞士] 于尔克·舒比格 ｜ 廖云海 译

洋葱、萝卜和西红柿，
不相信世界上有南瓜这种东西。
它们认为那是一种空想。

南瓜不说话，
默默地成长着。

我想和你一起生活

[俄罗斯] 玛琳娜·茨维塔耶娃 | 陈黎 译

我想和你一起生活
在某个小镇，
共享无尽的黄昏
和绵绵不绝的钟声。

在这个小镇的旅店里 ——
古老时钟敲出的微弱响声
像时间轻轻滴落。

有时候，在黄昏，
白顶楼某个房间传来笛声，
吹笛者倚着窗牖，
而窗口大朵郁金香。
此刻你若不爱我，
我也不会在意。

在房间中央，
一个瓷砖砌成的炉子，
每一块瓷砖上画着一幅画：
一颗心，一艘帆船，一朵玫瑰。
而自我们唯一的窗户张望，
雪，雪，雪。

你会躺成我喜欢的姿势：
慵懒，淡然，冷漠。
一两回点燃火柴的刺耳声。
你香烟的火苗由旺转弱，
烟的末梢颤抖着，颤抖着
短小灰白的烟蒂 ——
连灰烬你都懒得弹落 ——
香烟遂飞舞进火中。

饮酒

陶渊明

结庐在人境，而无车马喧。

问君何能尔？心远地自偏。

采菊东篱下，悠然见南山。

山气日夕佳，飞鸟相与还。

此中有真意，欲辩已忘言。

童话

[捷克] 约瑟夫·斯拉德克 ｜ 刘星灿 译

"白桦为什么颤抖，妈妈？"

"它在细听鸟儿说话。"

"鸟儿说些什么，妈妈？"

"说仙女傍晚把它们好一顿吓。"

"仙女怎么会把鸟儿吓呢？"

"她追赶着白鸽在林中乱窜。"

"仙女为什么要追赶白鸽？"

"她见白鸽差点淹死在水潭。"

"白鸽为什么会差点儿淹死呢？"

"它想把掉在水里的星星啄上岸。"

"妈妈，它把水里的星星啄上来了吗？"

"孩子啊，这个我可答不上。
　我只知道，等到仙女挨着白鸽的脸蛋时，
　就像如今我在亲你一样，
　亲呀亲呀，亲个没完。"

乌衣巷

刘禹锡

朱雀桥边野草花，
乌衣巷口夕阳斜。
旧时王谢堂前燕，
飞入寻常百姓家。

几只初生的小狗

冯至

接连落了半月的雨，
你们自从降生以来，
就只知道潮湿阴郁。
一天雨云忽然散开，

太阳光照满了墙壁，
我看见你们的母亲
把你们衔到阳光里，
让你们用你们全身

第一次领受光和暖，
日落了，又衔你们回去。
你们不会有记忆，

但是这一次的经验
会融入将来的吠声，
你们在黑夜吠出光明。

我将来要做什么

[加拿大] 丹尼斯·李 | 任溶溶 译

"你将来要做什么？"
大人问个没完。
"做舞蹈家？做医生？
还是做个潜水员？
"你将来要做什么？"
大人老是缠着问，
好像要我不做我，
该做一个什么人。
我长大了做喷嚏大王，
把细菌打到敌人身上。
我长大了做只癞蛤蟆，
呱呱呱呱专门问傻话！
我长大了做个小小孩，
整天淘气，把他们气坏!

公园里

[法国] 雅克·普列维尔 ｜ 高行健 译

一千年一万年，

也难以诉说尽，

这瞬间的永恒。

你吻了我，

我吻了你。

在冬日朦胧的清晨，

清晨在蒙苏利公园，

公园在巴黎，

巴黎是地上一座城，

地球是天上一颗星。

蜂鸟

[美国] 雷蒙德·卡佛 | 段冶 译

不如让我

念着夏天

写下蜂鸟的名字

将它装进信封

下山投寄

你展信时

便会忆起

忆起那段时日

还有我是多么

多么地

爱你

寻隐者不遇

贾岛

松下问童子，言师采药去。
只在此山中，云深不知处。

蝈蝈和蛐蛐

[英国] 约翰·济慈 ｜ 飞白 译

大地的诗啊永远不会死：

当骄阳炎炎使百鸟昏晕，

躲进了树荫，却有个声音

在草地边、树篱间飘荡不止；

那是蝈蝈在领唱，在奢华的夏日

它的欢乐永远消耗不尽，

因为如果它唱得疲倦过分，

就在草叶下享受片刻的闲适。

大地的诗啊永远不会停：

在寂寞的冬夜里，当霜雪

织出一片静寂，炉边的蛐蛐

尖声吟唱，歌声随着温度上升，

使人在睡意蒙胧中恍惚听得

绿草如茵的山坡上蝈蝈的歌曲。

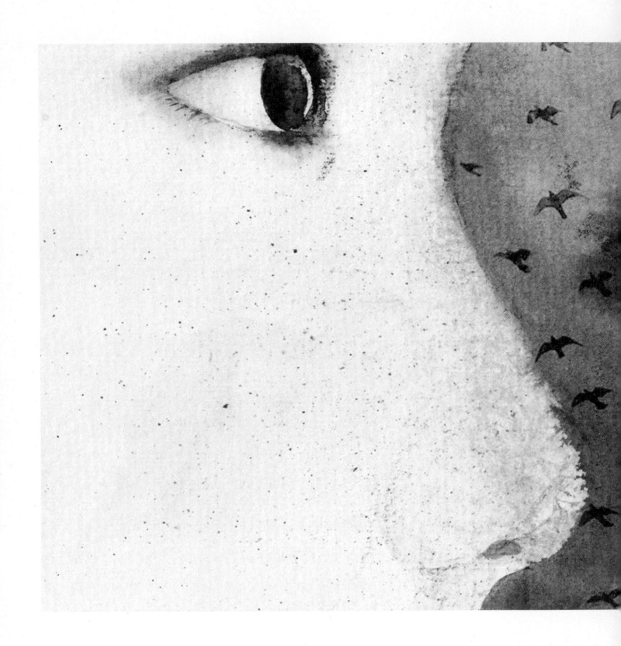

擦皮鞋的少年

[韩国] 郑浩承 | 薛舟 译

他擦皮鞋，也擦拭星辰

摘来晨星，盛满皮鞋箱

为了均匀地分给

那些失去星星的人们

他擦皮鞋，也擦拭星辰

整天孤独地坐在路边

捡起昨天夜里被人践踏

滚落在地的流星

他也拿出天上隐藏的阳光

手里盛满世界上的星光

擦皮鞋，也擦拭生命

就像妈妈每天早晨擦镜子

背着盛满昨夜星辰的鞋箱

走过冬夜的街巷

人们纷纷抱着星星回家了

而他追随凝结在脚印里的风声

前行，摆动着枯叶般的手

游山西村

陆游

莫笑农家腊酒浑，丰年留客足鸡豚。

山重水复疑无路，柳暗花明又一村。

箫鼓追随春社近，衣冠简朴古风存。

从今若许闲乘月，拄杖无时夜叩门。

母亲

冰心

母亲呵!
天上的风雨来了,
鸟儿躲到它的巢里;
心中的风雨来了,
我只躲到你的怀里。

Love

Love is patient, love is kind.

It does not envy, it does not boast,

it is not proud.

It is not rude,

it is not self-seeking,

it is not easily angered,

it keeps no record of wrongs.

Love does not delight in evil

but rejoices with the truth.

It always protects, always trusts,

always hopes, always perseveres.

—— 《哥林多前书》第 13 章第 4—7 节

致橡树 舒婷

我如果爱你——
绝不像攀援的凌霄花，
借你的高枝炫耀自己；

我如果爱你——
绝不学痴情的鸟儿，
为绿荫重复单调的歌曲；
也不止像泉源，
常年送来清凉的慰藉；
也不止像险峰，
增加你的高度，衬托你的威仪。

甚至日光，
甚至春雨。
不，这些都还不够！
我必须是你近旁的一株木棉，
作为树的形象和你站在一起。
根，紧握在地下；
叶，相触在云里。
每一阵风过，
我们都互相致意，
但没有人，
听懂我们的言语。

你有你的铜枝铁干，
像刀，像剑，也像戟；
我有我红硕的花朵，
像沉重的叹息，
又像英勇的火炬。
我们分担寒潮、风雷、霹雳；
我们共享雾霭、流岚、虹霓。
仿佛永远分离，
却又终身相依。
这才是伟大的爱情，
坚贞就在这里：

爱——
不仅爱你伟岸的身躯，
也爱你坚持的位置，
足下的土地。

我不知道

[西班牙] 胡安·希梅内斯
林之木　译

我不知道应该怎样

才能从今天的岸边

一跃而跳到明天的岸上。

滚滚长河夹带着

今天下午的时光

一直流向那无望的海洋。

我面对着东方、西方

我向南方和北方张望……

只见那金色的现实

昨天还缠绕着我的心房

此刻却像整个天空

分崩离析，虚无迷茫。

……我不知道应该怎样

才能从今天的岸边

一跃而跳到明天的岸上。

错误

郑愁予

我打江南走过

那等在季节里的容颜如莲花的开落

东风不来，三月的柳絮不飞

你底心如小小的寂寞的城

恰若青石的街道向晚

跫音不响，三月的春帷不揭

你底心是小小的窗扉紧掩

我达达的马蹄是美丽的错误

我不是归人，是个过客

锦瑟

李商隐

锦瑟无端五十弦，一弦一柱思华年。

庄生晓梦迷蝴蝶，望帝春心托杜鹃。

沧海月明珠有泪，蓝田日暖玉生烟。

此情可待成追忆？只是当时已惘然。

第一次

[日本]工藤直子 ｜ 游珮芸 译

那天晚上
月光下的屋顶
如银白的毛毯

青嫩的枫叶
像青蛙的手套
缓缓地摇摆

风载着花花草草的清香
像船一般驶过天空
那个春天的晚上
第一次知道
原来也有"睡不着"这回事

只是只是　心烦着
这就是"烦恼"吧
第一次这么想

还幼小的我
满脸认真的神情

乡愁

余光中

小时候，
乡愁是一枚小小的邮票，
我在这头，
母亲在那头。

长大后，
乡愁是一张窄窄的船票，
我在这头，
新娘在那头。

后来啊，
乡愁是一方矮矮的坟墓，
我在外头，
母亲在里头。

而现在，
乡愁是一湾浅浅的海峡，
我在这头，
大陆在那头。

静静的欢乐

[以色列] 耶胡达·阿米亥 | 王家新 译

我站在我曾经爱的地方。
雨在落下。雨丝即是我的家。

我在渴望的低语中想着
一片远远的我可以够着的风景。

我忆起你挥动着你的手，
就像在擦窗玻璃上的白色雾气。

而你的脸，仿佛也放大了，
从一张从前的、已很模糊的照片。

从前我的确很不好，
对我自己和对他人。

但是这个世界造得如此美丽，就像一条
公园里的长椅，为了你好好休息。

所以我现在会找到一种
静静的欢乐，只是太晚了，
就像到很晚才发现一种绝症：

还有几个月的时间，为这静静的欢乐。

由我泪珠里

[德国] 海因里希·海涅 | 冯至 译

由我泪珠里，
放出无数花朵，
我的叹息
化作一片莺歌。

若是你爱我，
我将花朵全给你；
女孩儿，在你窗前，
永有莺歌婉转。

今天我看见

[挪威] 奥拉夫·赫格 | 北岛 译

今天我看见

两个月亮，

一个新的，

一个旧的。

我很相信新月，

可我猜它是旧的。

相思

王维

红豆生南国，春来发几枝？
愿君多采撷，此物最相思。

我以为看见一封信投在门廊

[芬兰]伊娃－利萨·曼纳 | 北岛 译

我以为看见一封信投在门廊，

可那只是一片月光。

我从地板上拾了起来。

多轻呵，这月光的便笺，

而一切下垂，像铁一样弯曲，在那边。

长相思·山一程

纳兰性德

山一程，水一程，身向榆关那畔行，夜深千帐灯。

风一更，雪一更，聒碎乡心梦不成，故园无此声。

无论如何

[美国] 肯特·基斯 | 傅厚朴 译

人们往往不理智，
缺乏逻辑性并以自我为中心；
原谅他们吧，
无论如何。

如果你善良，
人们会指责你怀有自私和不良动机；
仍旧善良吧，
无论如何。

如果你成功了，
你会赢得一些假朋友和一些真敌人；
还是去成功吧，
无论如何。

如果你诚实和坦率，
人们会欺骗你；
仍然诚实和坦率吧，
无论如何。

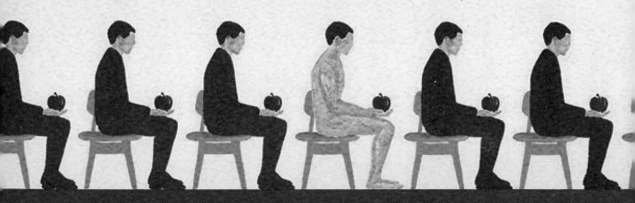

你花数年时间所营造的，
有人会在一夜之间将其摧毁；
继续营造吧，
无论如何。

如果你找到了安宁和幸福，
他们会嫉妒你；
依旧欢乐吧，
无论如何。

你今天做的好事，
人们往往明天就会忘记；
仍然去做好事吧，
无论如何。

你将你拥有的最好的东西贡献给世界，
再多也不够；
继续将最好的奉献给世界吧，
无论如何。

你瞧，
归根到底，
这是你和上帝之间的事；
而决不是你和他人之间的事，
无论如何。

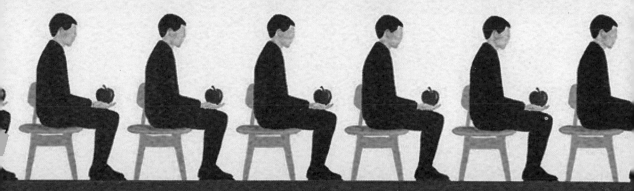

如果

[英国] 约瑟夫·吉卜林 | 佚名 译

如果在众人六神无主之时，
你镇定自若而不是人云亦云；
如果被众人猜忌怀疑时，
你能自信如常而不去枉加辩论；
如果你有梦想，
又能不迷失自我；
如果你有神思，
又不至于走火入魔；
如果在成功之中能不忘形于色，
而在灾难之后也勇于咀嚼苦果；
如果看到自己追求的美好破灭为一摊零碎的瓦砾，
也不说放弃；
如果你辛苦劳作，
已是功成名就，
为了新目标，
你依旧冒险一搏，
哪怕功名成乌有；
如果你跟村夫交谈而不变谦恭之态，
和王侯散步而不露谄媚之颜；
如果他人的爱情左右不了你，
如果你与任何人为伍都能卓然独立；
如果昏惑的骚扰动摇不了你的意志，
你能等自己平心静气时再作答……
那么，你的修养就会如天地般博大，
而你，就是个真正的男子汉了，我的儿子！

如梦令·常记溪亭日暮

李清照

常记溪亭日暮，沉醉不知归路，
兴尽晚回舟，误入藕花深处。
争渡，争渡，惊起一滩鸥鹭。

189

一支歌

[捷克] 雅罗斯拉夫·塞弗尔特

刘星灿 译

有谁在挥动白色的头巾，

依依惜别他的亲人。

每天都有事物在终结，

极其美好的事物在终结。

信鸽在高空拍打双翼，

飞呀飞呀重返故里。

我们带着希望也带着绝望，

从此永远回到家乡。

请你擦干湿润的眼睛，

朗朗一笑别再伤心。

每天都有事物在开始，

极其美好的事物在开始。

茅屋

[丹麦] 汉斯·安徒生 ｜ 周枫 译

在浪花冲打的海岸上，
有间孤寂的小茅屋，
一望辽阔无边无际，
没有一棵树木。

只有那天空和大海，
只有那峭壁和悬崖，
但里面有着最大的幸福，
因为有爱人同在。

茅屋里没有金和银，
却有一对亲爱的人，
时刻地相互凝视，
他们多么情深。

这茅屋又小又破烂，
伫立在岸上多孤单，
但里面有着最大的幸福，
因为有爱人作伴。

南城

[阿根廷] 豪尔赫·博尔赫斯 ｜ 王永年 译

从你的一座庭院

观赏亘古已有的繁星，

坐在夜幕下的长凳上

凝望

因为无知而不知其名、

也弄不清属于哪些星座的

天体的寒光荧荧，

聆听从看不见的池塘传来的

溪流淙淙，

呼吸素馨与忍冬的芳菲，

感受睡鸟的沉寂、

门廊的肃穆、湿气的蒸腾

——这一切，也许，就是诗情。

黄鹤楼

崔颢

昔人已乘黄鹤去，此地空余黄鹤楼。

黄鹤一去不复返，白云千载空悠悠。

晴川历历汉阳树，芳草萋萋鹦鹉洲。

日暮乡关何处是，烟波江上使人愁。

孩子们的时刻

[美国] 亨利·朗费罗 | 屠岸 译

在日光和黑暗交替之间，

夜幕开始降落，

一天的工作暂时停止，

这是孩子们的时刻。

永恒的规律

[秘鲁] 贡萨雷斯·普拉达
赵振江 译

用骄傲对待骄傲的前额，
用善良对待善良的心肠：
这是我一生永恒的规律，
只有采摘玫瑰才弯下脊梁。

雾

[美国] 卡尔·桑德堡 | 赵毅衡 译

雾来了
踮着猫的细步。

他弓起腰蹲着
静静地俯视
海港和城市
又再往前走。

送别

李叔同

长亭外，
古道边，
芳草碧连天。
晚风拂柳笛声残，
夕阳山外山。

天之涯，
地之角，
知交半零落。
一瓢浊酒尽余欢，
今宵别梦寒。

当你老了

[爱尔兰]威廉·叶芝

李立玮 译

当你老了，头发花白，睡意沉沉，
倦坐在炉边，取下这本书来，
慢慢读着，追梦当年的眼神，
那柔美的神采与深幽的晕影。

多少人爱过你青春的片影，
爱过你的美貌，以虚伪或是真情，
唯独一人爱你那朝圣者的心，
爱你衰戚的脸上岁月的留痕。

在炉栅边，你弯下了腰，
低语着，带着浅浅的伤感，
爱情是怎样逝去，又怎样步上群山，
怎样在繁星之间藏住了脸。

插画索引 | INDEX OF ILLUSTRATORS

果麦 更好的精神食粮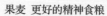

给孩子读诗

产品经理 | 王　敏　　　　装帧设计 | 沈璜斌
　　　　　 茅　懋　　　　媒介推广 | 景诗佳
责任编辑 | 金荣良　　　　后期制作 | 白咏明
特约编辑 | 徐敏君　　　　特约印制 | 刘　淼
出版统筹 | 吴　畏　　　　策 划 人 | 路金波

谢谢。您选择的是一本果麦图书

诚邀关注"果麦文化"微信公众号

图书在版编目(CIP)数据

给孩子读诗/ 果麦编. –– 杭州：浙江文艺出版社，
2016.1（2017.4重印）
ISBN 978-7-5339-4307-3

Ⅰ.①给… Ⅱ.①果… Ⅲ.①诗集－中国 Ⅳ.
①I22

中国版本图书馆CIP数据核字(2015)第251681号

责任编辑　金荣良
特约编辑　王　敏　茅　懋　徐敏君
装帧设计　沈璜斌

给孩子读诗
果麦 编

出版　浙江出版联合集团
　　　浙江文艺出版社

地址　杭州市体育场路347号　　邮编　310006
网址　www.zjwycbs.cn
经销　浙江省新华书店集团有限公司
印刷　北京旭丰源印刷技术有限公司
开本　787mm×1092mm　1/16
印张　13.5
插页　4
版次　2016年1月第1版　2017年4月第20次印刷
书号　ISBN 978-7-5339-4307-3
定价　68.00元

ACKNOWLEDGEMENTS

구두 닦는 소년 c 1979 정호승
Translation rights arranged with Changbi Publishers, Inc.
through Shinwon Agency Co., Korea.
Simplified Chinese Translation Copyright c2016 by Guomai Culture and Media Co.,
Ltd.

"The South" by Jorge Luis Borges. Copyright © Maria Kodama and Emece Editores.
S.A. 1989, used by permission of The Wylie Agency (UK) Limited.

"The Gift" by Czeslaw Milosz. Copyright © Czeslaw Milosz Royalties Inc. 1988,
1991, 1995, 2001, used by the permission of The Wylie Agency (UK) Limited.

'I Told You' by Adonis. Copyright © Adonis 2010, used by permission of The Wylie
Agency (UK) Limited.

"From Garbage Delight(HarperCollins Canada, 2012). Copyright © 1977 Dennis
Lee. With permission of the Author"

Pablo Neruda,
"Poema 15", VEINTE POEMAS DE AMOR Y UNA CANCIóN DESESPERADA ©1924,
Fundación Pablo Neruda

Song, 2015© Jaroslav Seifert - heirs c/o DILIA

感谢授予著作使用权之全体作者、译者、画家或其版权持有人。幸得各方帮助，本书编辑团队已很荣幸
获得全部诗作、插画之著作使用权及绝大多数译著使用权，终因能力有限，少量译者始终无法取得联系。
在此，向上述译者或其版权持有人致以歉意。敬请见本书后与我们联系，以便敬奉稿酬。